los animales del jardín

La araña
fontanera

Gemma Armengol
Òscar Julve

AlgaR
EDITORIAL

Un nuevo día empieza en el jardín donde vive la mariquita Antoñita, y sus habitantes se despiertan con las primeras gotas de una tormenta de verano.

Como cada mañana, la araña Pilar teje la telaraña entre cuatro ramas bien firmes.

Saltando de una parte a otra
con sus ocho patas largas y finas,
fabrica una tela muy resistente.
Entonces, espera
escondida a que se
quede enganchado
algún bicho,
que le servirá
de desayuno.

3

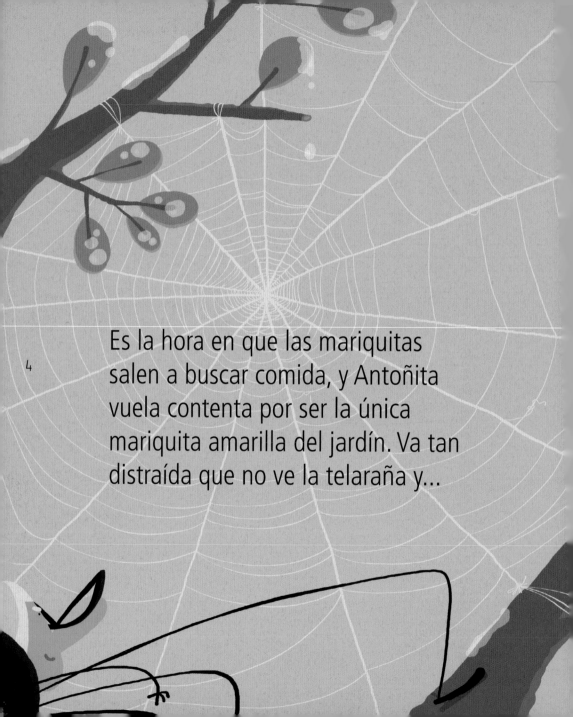

Es la hora en que las mariquitas
salen a buscar comida, y Antoñita
vuela contenta por ser la única
mariquita amarilla del jardín. Va tan
distraída que no ve la telaraña y...

4

¡¡¡Patachooof!!!, se engancha
de lleno.
¡Qué horror!
¿Y ahora qué?
La mariquita Antoñita
suda tinta intentando escaparse,
pero cuanto más se mueve,
más se enreda
en la telaraña.

La araña Pilar se acerca
y la rodea con sus patas
como si la encerrara en
una jaula:
   —¡Mmmm... qué comida
tan suculenta! —dice soltando saliva.
—¡Sácame de aquí, yo no soy el desayuno
de nadie! —reclama Antoñita.

—Oye, guapa, si caes en la telaraña, te como,
¡mala suerte!
—Sí, claro, muy bonito, y si cae en ella
un amigo tuyo, ¿qué, también te lo
         comes, eh, eh, eh?
             —¡Yo no tengo
             amigos! —responde seca
             la araña Pilar.

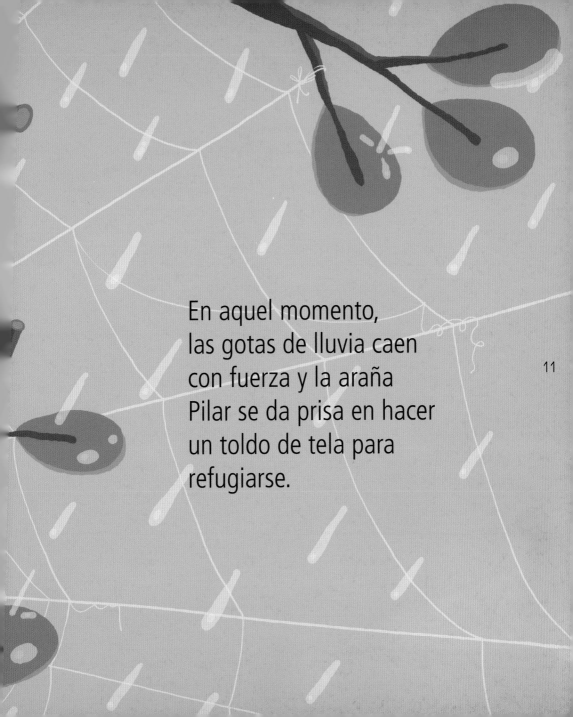

En aquel momento,
las gotas de lluvia caen
con fuerza y la araña
Pilar se da prisa en hacer
un toldo de tela para
refugiarse.

11

Poco después, el viento
parte una de las ramas
donde está atada la telaraña
y la araña Pilar corre a arreglar
el destrozo con su tela.

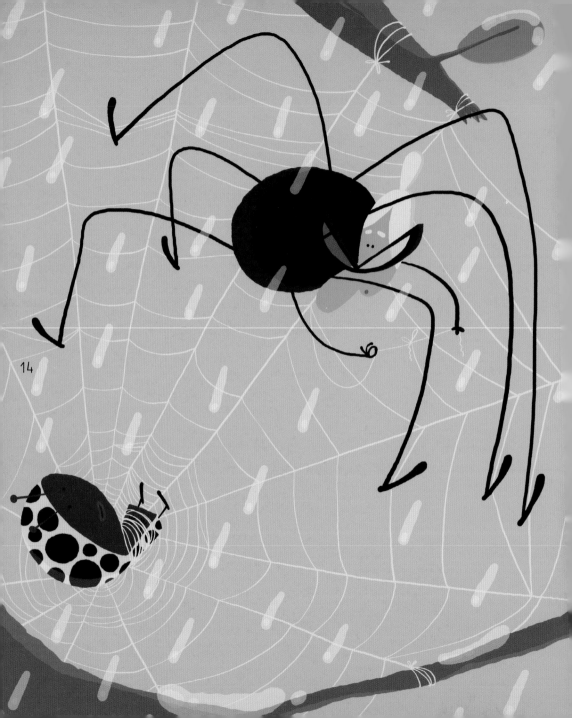

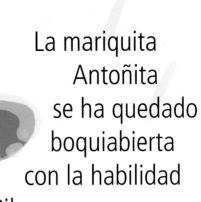

La mariquita
Antoñita
se ha quedado
boquiabierta
con la habilidad
de la araña Pilar para
utilizar la tela.
—¡Eres una araña mañosa! —dice la
mariquita Antoñita risueña.
—¿Tú crees? —dice la araña Pilar
tímida.

      —Sí, y en vez de telarañas para cazar
podrías hacer de fontanera
y ¡todos seríamos
tus amigos! —le propone—.
Venga, desátame
y te ayudo.

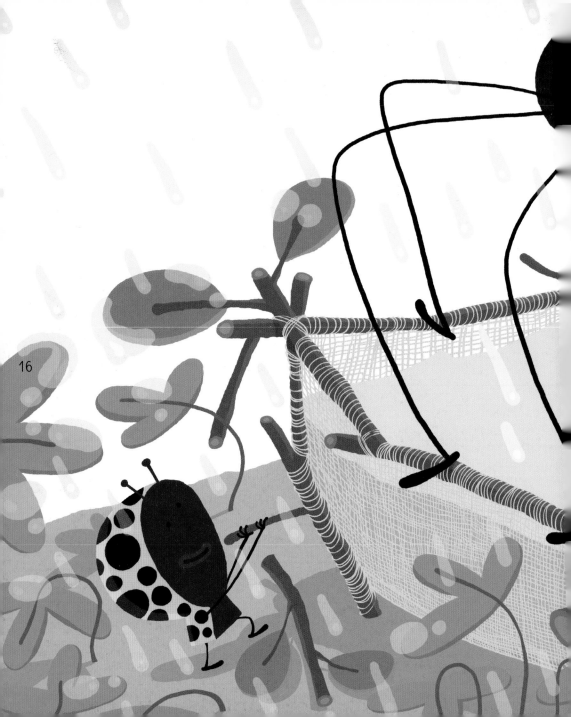

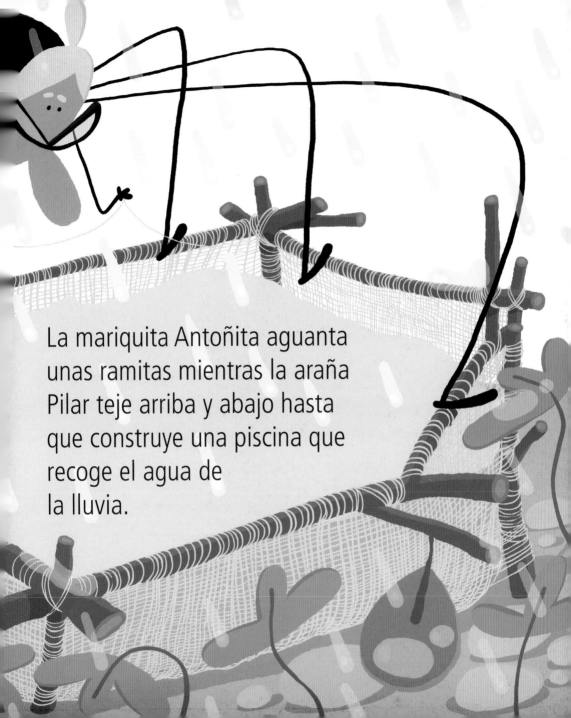

La mariquita Antoñita aguanta
unas ramitas mientras la araña
Pilar teje arriba y abajo hasta
que construye una piscina que
recoge el agua de
la lluvia.

Cuando
sale de nuevo el sol,
todos los habitantes del jardín donde
vive la mariquita Antoñita se bañan contentos
en la piscina de la araña Pilar
y la felicitan por el trabajo.

La araña Pilar, que está muerta de
hambre, coge las primeras hojas
que encuentra y se las come sin pensárselo.
—¡Mmmm, me gusta ser vegetariana...
y hacer amigos! —y se lanza de nuevo
sobre los tréboles.

La mariquita Antoñita
rompe a reír viendo
cómo su nueva amiga
se hincha a comer
y, de reírse tanto...,
¡se pone roja!

Licencia editorial por cesión de Edicions Bromera, S.L.

Título original: *L'aranya lampista*
© Gemma Armengol Morell, 2009
Traducción: Pau Martí Sanjuán, 2009
© Dibujos: Òscar Julve Gil, 2009
© Algar Editorial
   Apartado de correos 225
   46600 Alzira
   www.algareditorial.com
Impresión: Bormac

1a edición: marzo, 2009
ISBN: 978-84-9845-155-9
DL: V-641-2009